CW00392270

L'apprenti Chevalier

Bonne chance
pour le tournoi!

...pour les enfants qui apprennent à lire

Le texte à lire dans les bulles est conçu pour l'apprenti lecteur. Il respecte les apprentissages du programme de CP :

le niveau **JE DÉCHIFFRE** correspond aux acquis de septembre à novembre ;

le niveau **JE COMMENCE À LIRE** correspond aux acquis de novembre à mars ;

le niveau **JE LIS COMME UN GRAND** correspond aux acquis de mars à juin.

Cette histoire a été testée à deux voix par Francine Euli, enseignante, et des enfants de CP.

Cet ouvrage est un niveau JE LIS COMME UN GRAND.

MIXTE
Papier issu de
sources responsables
FSC® C022030

© 2014 Éditions NATHAN, SEJER, 25 avenue Pierre-de-Coubertin, 75013 Paris
Loi n° 49-956 du 16 juillet 1949 sur les publications destinées à la jeunesse,
modifiée par la loi n° 2011-525 du 17 mai 2011
ISBN : 978-2-09-253790-9
N° éditeur : 10214142 – Dépôt légal : juillet 2014
Imprimé en février 2015 par Pollina (85400, Luçon, France) - L71299B

Bonne chance pour le tournoi!

TEXTE DE CHRISTOPHE NICOLAS ET RÉMI CHAURAND
ILLUSTRÉ PAR BÉRENGÈRE DELAPORTE

 Nathan

Le chevalier Bernard de Main-Matin-de-Bonheur et son écuyer Solal se préparent. Cet après-midi, c'est le grand tournoi des Trois Nations.

J'ai pris à manger.

C'est bien.

Bernard doit retrouver d'autres combattants, il va y avoir de la bagarre.

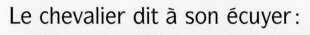

Le chevalier dit à son écuyer :
— Dis donc, Solal, j'espère
qu'on a pensé à tout.

Vos armes !
Zut, je les ai
oubliées !

Bernard et Solal se sont remis en chemin. Le chevalier dit à son écuyer :
— Dis donc, Solal, j'espère qu'on a pensé à tout.

Vos protections ! Zut, je les ai oubliées aussi !

C'est grand !
Et quel monde !

Cette fois, Bernard et Solal sont arrivés
au grand tournoi des Trois Nations,
avec armes et bagages.
Les choses sérieuses vont commencer.

Pendant que Bernard s'inscrit au tournoi,
Solal va ranger le matériel...

– Mon premier combat a lieu contre Sir Donald de Saint-Malo, annonce Bernard. C'est un gros moqueur, et je n'aime pas les moqueurs. Habille-moi, Solal !

– Ce Sir Donald, vous allez en faire…

… du hachis !

… du pâté !

… de la saucisse !

... de la
purée !

– Merci, dit Bernard. Il est temps
d'y aller maintenant. Mon heaume !

L'arbitre appelle le chevalier.

Aïe aïe aïe... Le heaume de Bernard
est à l'envers. Et Sir Donald approche...

Tant pis!
On y va!

– Ton écuyer est nul, Bernard. Et toi aussi, tu es nul ! se moque Sir Donald de Saint-Malo.

Continue à parler, Donald, que je te repère bien !

Bernard se guide à la voix de son adversaire. Et paf! son épée trouve la tête de Donald!

Bernard a gagné son premier combat.

L'arbitre passe sa tête dans la tente
de Bernard et Solal. Il dit :
– Prochain combat : Bernard contre
Sir Pluto de Cabourg dans une minute !

Bernard explique à Solal :
– Sir Pluto a le bras long :
donne-moi ma plus grande lance.

Où ai-je mis la plus grande lance ?

21

Solal n'a trouvé qu'une petite épée!
Heureusement que Bernard est très
souple. Il évite la lance de Sir Pluto!

Raté!
Et encore
raté!

Finalement, Bernard accroche
avec sa petite épée le bras si long
de Sir Pluto. Le grand chevalier
tombe de sa monture et roule
dans la poussière. Bernard a gagné
son deuxième combat.

C'est la dernière épreuve.
Cette fois, le heaume de Bernard
est dans le bon sens et son épée
n'est pas trop petite.

On y va!

Bonne chance,
mon chevalier!

Son cheval est bien un cheval et
non une chèvre. Il fait face à son dernier
adversaire : Sir Mickey de La Baule.
Personne n'a jamais gagné contre lui.

Solal s'approche de Bernard pour
l'encourager. Mais, oups! sa main
se coince sous la selle! Et Bernard
ne le voit pas!

Aïe!

Le pauvre Solal s'accroche sous le
cheval de Bernard alors que le combat
s'engage entre les chevaliers.

Hé! Ho! Sous l'autre monture, il y a
l'écuyer de Sir Mickey. Il veut détacher
la selle de Bernard! Que faire? Solal
mord la main du tricheur, très fort.

Surpris, l'écuyer de Sir Mickey gigote
comme un fou. La selle de son maître
se met à pencher... et finit par tourner !
Les tricheurs roulent dans la poussière,
ils sont démasqués ! Bernard a gagné
le tournoi !
Et c'est quand même un peu
grâce à Solal !

Nathan présente les applications Iphone et Ipad tirées de la collection *premières* **lectures**.

L'utilisation de l'Iphone ou de la tablette permettra au jeune lecteur de s'approprier différemment les histoires, de manière ludique.
Grâce à l'interactivité et au son, il peut s'entraîner à lire, soit en écoutant l'histoire, soit en la lisant à son tour et à son rythme.

Avec les applications *premières* **lectures**, votre enfant aura encore plus envie de lire… des livres!

Toutes les applications *premières* **lectures** sont disponibles sur l'App Store :

premières lectures

À la rentrée de septembre, les enfants de CP entrent doucement en lecture. Afin de les accompagner dans cette découverte et d'encourager leur plaisir de lire, Nathan Jeunesse propose la collection **Premières lectures**.

Cette collection est idéale pour une **lecture à deux voix,** prolongeant ainsi le rituel de l'histoire du soir. Chaque ouvrage est écrit avec des **bulles**, très simples, que l'enfant peut lire car les sons et les mots sont adaptés aux compétences acquises au cours de l'année de CP, et qui lui permettent de se glisser dans la peau du personnage. Par ailleurs, un «lecteur complice» peut prendre en charge les **textes**, plus complexes, et devenir ainsi le narrateur de l'histoire.

Les récits peuvent ensuite être relus dans leur intégralité par les élèves dès le début du CE1.

Les ouvrages de la collection sont **testés** par des enseignant(e)s et proposent trois niveaux de difficulté selon les textes des bulles: **Je déchiffre**, **Je commence à lire**, **Je lis comme un grand**.

L'enfant acquiert ainsi une autonomie progressive dans la pratique de la lecture et peut connaître la satisfaction d'avoir lu une histoire en entier…

Un moment privilégié à partager en classe ou en famille!

Nathan © 2013, illustrations de M. Allag, Z. Zonk.